나를 바꿔준

뇌성마비 고양이 고리

환묘와 함께 산다는 건

나를 바꿔준 뇌성마비 고양이 고리

발　행　　2024년 05월 30일

지은이　　강시온

펴낸이　　한건희

펴낸곳　　주식회사 부크크
출판사등록　2014.07.15(제2014-16호)
주소　　서울 금천구 가산디지털1로 119, A동 305호
전화　　1670 - 8316
이메일　　info@bookk.co.kr

편집디자인　서민경
이메일　　niente1991@gmail.com

ISBN　　979-11-410-8645-9

• 본 책은 브런치 POD 출판물입니다.

https://brunch.co.kr
www.bookk.co.kr

나를 바꿔준

뇌성마비 고양이 고리

환묘와 함께 산다는 건

지은이 강시온

prologue

고리와의 747일

나름 열심히 살아왔다고 생각했을까.
아니면 혼자만의 자위였을까.
요즘 MZ세대들이 철없다 하지만
나 정도는 아니었던 것 같다.
나름대로 쉬지 않고 열심히 살았다.
하지만 꾸준하지 못 했다.

예술대학교를 다니면서,
새벽에 아르바이트로 시작했던
농산물 유통업이
이제는 주업이 되어 버렸다.
음악만 하면서 살기엔
여건이 모자랐기 때문이다.

하지만 만족했다.
몸을 쓰는 일이지만
급여가 꽤나 높았기 때문이다.
그래서 음악도 함께 할 수 있었다.
젊은 사람이 새벽에 먼지 마시며
일 하는 사람이 드물다보니
재취업도 빨랐다.

1달을 일하면
2달은 일을 하지 않을 수 있었다
그래서 2달은 음악을 할 수 있었다.
그렇게 그런 삶에 적응되어 갔다.

겉보기에는 음악인으로 보이던 내 삶.
그 속은 게으른 인간이었다.

대학을 다니며
새벽에 일을 하다보니 잠이 적어졌고
내 주사는 잠을 자는 것이었다.

처음엔 잠을 자려고
술을 마시기 시작했다.
그렇게 2~3년동안.

하루도 안 빠지고
하루에 조금씩 술을 먹다 보니
습관이 됐고, 알코올 의존증이 찾아왔다

쉬는날의 내 일과는 단순했다.
아침에 일어나
술을 들이키고 잠에 들었고,

점심에 일어나서는
술을 마시고 쓰러졌다.
저녁에 깨어나면 일어나서
술병을 들이키고 잠들기를 반복했다.

노력이라고는 없었고,
말만 번지르르한
게으른 사람이 되어갔다.

주변의 선배님들과 교수님이 말씀하셨다.
“넌 재능이 있어.”라고,
“왜 노력을 하지 않는거야?라고.
질책이 섞인 응원과
따뜻한 눈으로 바라보며
응원해주셨지만,
나는 그들의 기대를 배반하고 있었다.
그렇게 내 20대는 망가져가고 있었다.

인생의 큰 변화는
항상 예상치 못한 것에서
찾아온다고 하였던가.
예고 없이 찾아온 큰 변화.

뇌성마비를 앓고 있는 ‘고리’
매일 매일 노력하며
발전하는 고리는 나와는 많이 달랐다.

걷지 못해 기어야 했고,
뛰지 못해 굴러야 했던 고리.
이제 걷기 시작했고, 뛰기 시작했다.

걷게 되고, 뛰게 된
수 많은 과정 속.
그 안에는 많은 고리의
노력들이 있었다.

매일 매일 나아가려고 노력하는
고리의 영혼은
나에게 많은 영향을 주었다.

”저렇게 작은 고리도 힘을 내는데,
내가 못하면 난 아빠의 자격이 없다.“
”내가 노력해서 더 나은 삶을 살아야
고리를 더 좋은 환경에서 케어해 줄 수 있다“

나에게 생명의 책임감을 일깨워 주었다.

나에게 변함없는 애정을 보여줌으로써
자신보다 상대방을 더 사랑하는 마음이
어떤 것인지를 알게 해 주었다.
매일 함께 하는 고리와의

하루 하루를 통해
일상의 소중함을 알게 해주었다.

매일 문 앞에서 기다리고 있는
아빠를 기다리는 고리의 모습.
그 모습을 통해
부성애가 무엇인지 알게해주었다.

매일 술을 먹는 동안,
함께였지만 외로워 하는 모습.
그 모습을 통해
술에 의존하는 삶을 극복하게 되었다.

그렇게 고리는 매일 매일
내 삶을 기적처럼 변화시켜가고 있다.
이 책은 고리와의 지금까지 747일.
그 시간의 기록이다.

목차

Chapter 2

웃긴 이야기

Chapter 3

환묘와 함께 산다는건

Chapter 1

고리와 나의 이야기

망가짐

대학을 다니면서
새벽에 일을 오래 했던 경험.
그 경험들로 매일 새벽에 깨어났다.

다시 잠이 오지 않았다.
하루에 잠을 3시간도 못 잤다.

내 주사는 잠을 자는 것이었다.
처음엔, 잠을 자기 위해 술을 마셨다.

3년, 내가 매일 술을 마신 세월.
나는 "알코올 의존증"에 걸렸다.

내 삶에 가득했던
“노력”이란 단어는 “회피”로 변했다.
“도전”이란 단어는 “포기”로 변했다.
망가져가고 있었다.
음악한다고 살아왔지만
“음악을 하는 척”했다.

열심히 일했었지만
“열심히 일하는 척”했다.

내 삶은 예쁜 포장지로
포장된 텅 빈 상자 같았다.

사실, 나에게 재능이 있다며
기회들을 허락해 준 고마운 분들이 많다.

나는 항상, 그 사람들을 배신했다.
“알코올 의존증”때문이었다.

나는 많은 기회들을
스스로 걷어차고 노력하기를 거부했고,

기회들은 나를 지나쳐갔으며
좋은 선배님들도 나를 떠나갔다.
부모님도 지쳐갔다.
이제 음악은 취미로만 하라고.
불가능했다.

나에게 "음악을 하고 있다"는
타이틀이 없으면
나를 방어할 수 있는 수단이 없었다.

부모님은 내게 말했다.
"집에서 술 좀 그만 먹으라고."

내 방 안의 모습.
널부러져 있는 술 병들과, 담배 냄새.

나는 20대였지만
방 안의 나는 몇 살로 보였을까.
부모님이 나를 어떤 아들로 보셨을까.

그 때의 나를 지금 돌이켜보면
"폐인" 자체였다.

애정이 듬뿍 담긴 부모님의 조언이
나에겐 잔소리로 들렸다.

"알아서 할게, 신경 쓰지마."
대화를 회피했고 방문을 굳게 닫아버렸다.

방 너머엔 부모님의
걱정 섞인 소리로 가득했다.
나는 그 소리 조차 듣기 싫었다.
간섭 받지 않고 편히 술을 먹고 싶었다.

나는, 독립했다.

첫 만남

나는 어렸을 때부터 동물을 좋아했고,
독립해서는 꼭 동물을 키우고 싶어했다.

독립을 했지만 작은 원룸에 살았다.
나는 경제적인 여건도, 집의 크기도.
생명체를 반려하기에는 무리가 있었다.
애써 마음을 참아냈다.

독립을 했기 때문에 고정 지출이 생겼다.
아르바이트로 고정 지출을 감당했다.
아르바이트를 시작했지만
술은 계속 마셨다.

어느 날, 회사에서 쫓겨났다.
퇴직금을 받았다.

퇴사 후 아무런 계획 없이
술에 의존하며 나는 살아갔다.

그 당시엔 큰 돈이었기 때문에
일을 하지 않더라도 살 수 있었다.
마음 편하게 술을 마셨다.

1년, 퇴직금이 떨어졌다.
대출을 받았다.
큰 돈이 계좌에 들어왔다.
돈이 들어온 나는
고양이를 키우고 싶은 욕구가 생기기 시작했다.
집 근처에 있는 보호소로 향했다.
그것이 고양이와의 묘연의 시작이었다.

보호소에는 수 많은 고양이들이 있었다.
"많이 자라고 나서 유기된 고양이"

"태어나자마자 유기된 고양이."
"아파서 유기된 고양이."

묘생에 있어
커다란 아픔이었을
보호자를 자처한 사람의 배신과 유기.

커다란 아픔을 겪었지만
제각각의 아름다운 모습을
여전히 간직하고 있었으며
씩씩하게 지구별 여행을 살아가고 있었다.

힘 없이 앉아 있던
노령의 카오스 고양이를 바라보았다.
"정말 세상엔 나쁜 사람들이 많구나"

"이렇게 아름다운 아이들을 대체 왜 유기한걸까."
"내가 데려가고 싶은데, 내 상황이 지금 좋지 않은데.."

이런 저런 생각들로 감정이 기울어갈 때,
밑에서 날카로운 울음 소리가 들렸다.

작은 집에 들어가있던
그 작은 집보다 훨씬 작은 아기 고양이.

나는 쪼그려 앉아 그 아이를 바라보았다.
나와 눈이 마주쳤다.
아기고양이는 눈이 굉장히 푸르고 컸다.

그 큰 눈동자가 나를 바라봤을 때,
망설임과 호기심의 감정이 느껴졌다.

한 발자국, 한 발자국.

아기 고양이는
나에게 힘겹게 기어오기 시작했다.
망설임을 호기심이 이긴 것 같았다.
"잘 걷지 못하네,
어디가 아파서 여기에 있구나"
"정말 예쁜데, 어떡하지.."

걷지 못하는 아기 고양이를
나는 홀린 듯 꿇어앉아 바라보았고

아기 고양이는
열어달라는 듯 문을 긁어댔다.

나는 만져보고 싶은 마음에
두리번 두리번 직원을 찾았다.

그 모습을 본 보호소 관계자 분이
나에게 다가오셨다.

"입양 생각이 있어서 방문하신건가요?"

나는 그 한마디에 망설였지만
한 가지가 떠올랐다.
"대출금"
나에겐 대출금이 있었다.
"아이는 먼치킨 래가퍼라는 품종묘에요."
"처음 입양 하실때에는 성격이 형성된 성묘보다는 아기 고양이가 키우기 더 수월하실 거에요"
나는 그 말에 넘어가고 말았다.

직원분이 아이를 데리러 가셨다.

"나도 이제 집사다!"
"나도 이제 고양이가 있다!"
"얼른 집에 데려가고 싶다!"
"병원도 찾아봐야지!"
"내가 꼭 낫게 해줄게!"

사실 고백하자면
어리고 가벼운 마음이었다.
뒷다리를 쓰지 못하고 기어다니긴 했지만.

나는 대출금이 있으니까!
뒷다리야 고쳐주면 되겠지.
요즘 의학이 얼마나 발달했는데!
병원가면 고칠 수 있을 거야!
나는 그저 관절에
이상이 있는 것으로 생각했기에
더 쉽게 생각한 것일 수도 있었을 것이다.

사실 보호소에서
나에게 정확한 병명을
알려주지 않은것에 감사한다.

뇌성마비라는 것을 알았다면
나는 쉽게 입양 할 수 없었을 것이다.

사실 엄청 예쁘게 생긴것도
한 몫 하지 않았을까?
객관적으로 고리는 엄청 예쁘게 생겼다.

30분 정도의 기다림이 끝나고
아기 고양이가 들어가 있는
작은 케이지가 내 손에 들렸다.

그 아기고양이가 살아가는데
필요한 기본적인 물품들과 함께.
이제 집으로.

처음 보는 사람에게 납치당해서
낯선 곳에 왔지만 아기 고양이라 그런지
거부감 보다는 호기심이 커보였다.

"여기가 내 영역인가..?"

한 발자국, 한 발자국.
기어다니며 집을 탐색하기 시작했다.
나는 안중에도 없어 보였다.
고양이를 처음에 집에 처음 데려오면
적응할 시간이 필요하고 무서워하고
며칠, 숨어 있을 수 있다고 들었는데.

다행이었다.

나는 고양이를 위한 일을 하기 시작했다.

"샤르르륵.."
모래를 화장실에 부었다.
그 소리는 아기 고양이를 자극했다.

"엉금 엉금.." "철푸덕.."
화장실로 열심히 걸어오기 시작했다.

화장실 앞에서 멈춰섰다.
나를 멀뚱멀뚱 쳐다보는 아기 고양이.
영문을 모른체 쳐다보고 있는 나.

내가 어떤 행동도 하지 않으니
아기 고양이는, 화장실 문턱에
앞발을 턱 올려놓았다 뒤로 넘어졌다.

"그렇구나, 화장실을 넣어줘야 하겠구나.."

아기 고양이에게는
화장실 문턱이 너무 높았던 것이다.
화장실에 살포시 고양이를 넣어줬다.
강아지가 영역표시 하듯이,
누워서 한 발을 들고 볼일을 본다.
신기하고, 귀여웠다.

또 다시, "샤르르륵..", "콸콸.."
고양이를 위한 밥과 물을 준비해주었다.
역시 그 소리는 아기고양이를 자극했다.
의욕은 최고였다.
안타까운 사실은, 스스로 할수 없다는 것.

밥을 먹으려고 일어나려하다
미끄러져서 밥그릇에 얼굴을 부딪히고

물에 얼굴을 퐁당 담그기도 했다.

나는 그 모습을 보고
손에 사료를 쏟아서 입에 대어 주었고
아기 고양이는 허겁 지겁 먹기 시작했다.

"물은 어떻게 주지..?"
인터넷은 보물창고다.
주사기에 강급하는 방법이 있었다.
낯선 물체에 당황한 듯 보였으나.
목이 말랐었는지
고양이는 아기처럼 잘 받아 먹었다.

뭔가 이런 저런 복잡하고
애틋한 마음이 들었다.
젖을 먹이는 엄마의 마음인가 싶었다.

나는 깨달았다.
모든 것을 함께 해주어야 한다는 것을.
밀려오는 책임감이었다.
처음 느끼는 감정이었다.

아기 고양이는,
나를 대하는 태도가 달라졌다.
밥과 물을 먹여주고,
화장실을 도와주어서인가.

내 옆에 딱 붙어서 잠에 들었다.
나도 아기 고양이를 품고 잠에 들었다.
그렇게 나와 아기고양이의
첫 하루는 나름 별 탈 없이 지나갔다.

집에 온 첫 날, 적응하는 아기 고양이

너와 나의 연결고리

이튿 날, 병원으로 출발했다.
검진을 받기 위함이다.

"끼야아아앙"
케이지 안의 아기 고양이는,
어디로 나를 데려가냐는 듯.
발버둥을 쳤다.

케이지 안에
손가락을 넣어서 쓰다듬어 주었다.
아기 고양이는 안정을 찾았다.

병원에 도착했다.
나름 내가 살고 있는 곳에서는
고양이 병원으로 인터넷에서 유명했다.
고양이 전용 대기실도 있었다.

전문적인 고양이 병원인 것 같았고
치료 할 수 있겠지라는 기대에 부풀었다.

아직 아기 고양이의
이름을 정하지 못했기에
접수하면서는 살짝 민망했었다.

20분정도의 대기시간이 끝나고
아기 고양이의 진료 시간이 다가왔다!

처음 입양 하고 나서의
기본적인 검진 사항을 안내 받았다.

또한 나는 뒷다리를
잘 쓰지 못하는 내용을 공유해드렸고
아기고양이는 X-RAY를 찍으러 들어갔다.

나는 그 때 까지만 해도
낫지 못할 것이라는
생각은 전혀 하지 않았다.
치료비가 얼마 나올까?라는 생각뿐이었고
빨리 나았으면 좋겠다라는 생각뿐이었다.

유튜브에서 본 다른 고양이들처럼
캣타워를 타고, 캣휠을 타는 모습.

용맹한 점프를 하고
발랄한 아기 고양이의 모습을
상상하며 기대했다.
기분이 들뜨고 있었다.

그러나, 그 기분은 순식간에
바닥으로 곤두박질쳤다.

"X-Ray"를 찍어봤는데, 뼈에는 이상이 없어요.."
"지금 당장은 어떤 진단을 내리기 어렵습니다."

당황스러웠다.
나의 마음은 백 개 이상의 조각들로 찢어져버렸다.

"그럼 어떻게 해야 하나요?"
수의사님께 물어보았다.

"확실하지 않지만 가능성을 설명드릴게요"

1. 머리 쪽에 이상이 있을 수 있다,
MRI를 찍어봐야 확실해지는데
2개월령인 아기 고양이의 나이로는
감당 할 수 없어서
더 자라고 나서 시도해야한다.

2. 혈액검사를 해서 원인이 나올 수 있는데,
혈액검사도 아직 너무 어려서 할 수가 없고
더 자라나고 시도해야한다.

3. 척추 쪽에 뼈가 살짝 떨어져 있을 수 있다.
그것도 역시 현재 성장판이 열려있어서
엑스레이로는 판독이 불가능하다.

결국,
내가 아기 고양이에게
지금 당장 해 줄 수 있는 것은
아무것도 없었다.

가볍게 뼈에 문제가 있는 줄 알았는데,
이럴 줄은 몰랐다.
여러 가지 생각이 들기 시작했다.

보호소에서는
왜 나한테 이런 사실을
알려주지 않았던 걸까.

원망섞인 마음과,
아기 고양이가 안쓰러운 마음.
내가 아기 고양이를 책임질 수 있을까?
내가 다시 일을 시작하면
내가 일하는 시간동안
이 아기 고양이는 잘 있을 수 있을까?

더 나은 형편의 보호자를 만나는 것이
아기 고양이에게 더 행복한 삶이 아닐까?

마음이 복잡해졌다.
그 때 수의사분이 나에게 이런 말을 했다.

“보호자님이 좋은 마음으로
아이를 입양하신거고,
보호자분이 아니면
키울 사람이 없을거에요”

그 말을 듣고, 인연이구나 싶었다.
데려오기 전이라면 모르겠지만
이미 데려왔는데 어쩌겠어.
함께 생활한
그 하루 사이에
정이 너무 많이 들어버렸다.
여기서 고양이의 이름이 정해졌다.
가수 지코의 노래가사.
너와 나의 연결 “고리”
내 딸의 이름이 탄생한 순간이었다.

고리가 환묘라는 것을 알게 되어서일까?
더더욱 애틋하고 부성애같은 마음이
내 마음속에서 불타오르기 시작했다.
고리에게 아빠가 꼭 낫게 해줄게.
아빠는 너 절대 안버려라며
오글거리는 말들을 남발했지만,
지금까지 내가 고리에게 했던
모든말에 진심이 아닌 것은 없었다.

아빠 팔을 베고 자는 고리

기본 접종을 거부당하다

고리도
기본 접종을 시작 할 시기가 되었다.

저번에 검진을 갔을 때
차 안에서 난리를 치며
스트레스를 받던 고리가 생각이 났다.

고양이 접종을 받는 것은
어느 병원이나
큰 차이가 없을 것이라고 생각했다.

고리의 스트레스를 덜어주려고
가장 가까운 병원으로 출발했다.

택시 안에서
고리는 꽤나 불안해 보였다.

병원에 도착하니,
고양이 전문 병원이었던
저번 병원과는 달리
강아지 짖는 소리 등 소음이 많이 났다.

고리는 바짝 긴장했는지
아무 소리도 내지 않고
나와 눈만 맞추고 있었다.

잔뜩 쫄아있는 고리의 모습.
너무 귀여웠다.

고리에 대한 히스토리를 설명하고
접종을 맞추려고 왔다고 말씀을 드렸다.

"중심을 못 잡는 거 같은데,
머리에 문제가 있어 보이는데
비싼 접종을 맞출 필요가 있을까요?"

나는 당황했지만 감정을 추스렸다.
"괜찮아요, 저는 고리를 책임질거에요"

이내 돌아오는 말은
나를 슬프게 만들었다.

"지금은 이 정도지만
점점 나빠 질 수도 있고,
삶을 영위하지 못 할 수도 있어요."

"머리에 문제가 있는 고양이는
안락사를 고려하는 사람들도 많아요
다시 한번 생각해보시고 결정하세요"

그 수의사분이 어떤 마음으로
그런 말을 나에게 했는지는 모르겠다.
접종 약이 들어감으로써
혹시나 생길 부작용 때문이었는지.

이 병원에서는
접종을 맞출 수는 없어 보였다.

병원 로비로 나와서
근처에 있는 병원에 전화를 해봤다.

혹시나 괜한 발걸음을 했다가
가서 상처를 받고
거부당하진 않을까 싶은 마음이었다.

“안녕하세요,
인터넷보고 전화드렸어요.
아이가 아픈 아이인데,
기본 접종을 맞추려고 해요.
혹시 접종을 맞출 수 있을까요?”

“어디가 아픈가요?”

“아직 확실하진 않은데
머리 쪽에 문제가 있는 것 같아요”
“잠시만요.원장님께 여쭤볼게요.”

“큰 병원에 가시는게 안전할거에요”

대놓고 말을 하지는 않았지만
부담스러워하는 말투였다.

당연히 병원 입장에서는
혹시나 하는 사고를 방지해야 할 것이다.
사고가 나면 병원도 피해를 볼 것이기에.

애써 이해해보려고는 했지만
슬픈건 어쩔 수 없었다.
나는 고리를 데리고 집으로 왔다.

고리는 집에 도착하자마자
무슨 일이 있었냐는 듯이
화장실을 가고 싶다며
나를 보고 울었다.

밥과 물을 달라며 칭얼댔고
굴러가는 공 장난감을 가지고
이리저리 뒹굴며 재미있게 놀았다.

실컷 놀다가 침대 위에 있는
나를 쳐다보며 울었다.

침대에 올려주었더니
내 팔을 베며 잠이 들었다.

그 모습을 보며 나는 눈물이 났다.
내 딸 고리, 이렇게 활발한데,
의사 표현도 확실한데.

조금 다른 고양이일 뿐이고
하는 행동은 이렇게나 평범한데.

기본적인 접종 맞추는 것 조차도
병원을 떠돌아야 하는건가 싶었다.

감정을 추스르고
몇 군데의 병원에 전화를 걸어보았다.
역시나 반응은 마찬가지였다.

일주일 정도 지났을까.
좋은 소식이 들려왔다.
내 친구 중 한명이 수고를 해주었다.

고리의 상황을 본인의 고양이가
다니는 병원에 문의를 해준 것이다.

나는 기대하며
고리를 데리고 병원에 도착했다.

"이런 저런 일들이 있었어요.
고리를 끝까지 책임 질 생각인데
친구의 추천을 받아 여기 오게 됐습니다.
혹시 접종을 맞을 수 있을까요?"

"이상한 병원들이네요, 수술을 하는 것도아니고,
접종 가지고 유난인지 참.."

고마운 말이었다.
나는 위로받는 기분이었다.

결국 고리는
그 병원에서 모든 접종을 맞췄다.
별 거 아닌 그저 접종일 뿐이었지만.

접종을 맞추는 과정속에서
스트레스와 걱정이 심했고
접종에 부작용이 없기를 기도하며
고리의 모습을 주의깊게 지켜보았다.

고리는
아무런 일이 없었고,
나는 그 병원에
잘 정착했다고 생각하고 있었다.

병원 가는 중, 화난 고리

뇌성마비 진단을 받았다

고리와 함께 짧은 일상을 보내면서
나에게 많은 긍정적 변화들이 찾아왔다.

접종을 모두 마치고 일도 다시 시작했다.
술을 마시는 빈도도 줄이기 시작했다.

처음 느끼는 감정들이 생겼기 때문이다.
그 중 가장 큰 것은 “책임감”이었다.

고리에게 더 좋은 것을 사주고 싶었고
더 좋은 것을 먹여주고 싶었다.
당연히 아빠가 해야 하는 “의무”였다.
변해가는 내 모습.

부모님께도 떳떳하게 말할 수 있었다.
술을 줄여가는
내 자신이 뿌듯하고 기특했다.
변화하던 나와 함께
고리도 조금씩 자라났다.

2번째 관문이 찾아왔다.
"혈액검사"

병원에 도착해서 고리가 피를 뽑았다.
나를 쳐다보며 계속 울었다.
처음 듣는 울음 소리였다.
나는 마음이 아팠다.

그래도 기대했다.
혈액검사를 해서
고리의 병명을 알 수 있었으면 했다.

걱정 반, 기대 반의 마음으로
결과를 들으러 진료실로 들어갔다.

"혈액 검사 수치는 매우 건강해요"
고리는 매우 건강하다고 하였다.
나는 마냥 기쁘진 않았다.
고리의 병명이 나오지 않았기 때문이다.

"그럼 무슨 검사를 해야 할까요?
나는 긴장하며 대답을 기다렸다.

"소뇌형성부전을 앓고 있는
고양이들과 증상이 매우 흡사해요"
"소뇌형성부전"
처음 듣는 단어였다.

"설명을 부탁드려도 될까요..?"

"쉽게 말해서 뇌성마비라고 생각하시면 됩니다."

"뇌성마비"

고백하자면 혈액검사를 할 때,
고리의 병명이 나오지 않더라도

다른 치료법이 있을 테니까
너무 실망하지 말자라며
안 나올 상황을 염두해두었었다.

그러나, 뇌성마비는 염두 못했다.

그 단어 자체가
나에게 주는 공포가 매우 컸다.
나는 태연한 척 했지만 사실 절망했다.

수의사분께서 설명을 해주셨다.
범백을 앓고 있었던 어미 고양이.
그 어미고양이의 뱃속에서 태어난
아이들에게 전염되는 유전성 희귀병.

평형기관을 담당하는 소뇌가
유전적으로 작게 태어난 것이라고 하셨다.

수의사님이
나에게 영상 하나를 보시라며 권했다.
소뇌형성부전 환묘의 영상이었다.

기어가다 넘어지고.
다시 힘겹게 일어나고.
고리와 다른 것이 하나도 없었다.

"수의학이 도달하지 못한 영역이라,
해드릴 수 있는 게 없어요."

나는 멘탈이 흔들리기 시작했고
수의사분도 내 눈치를 보았다.
눈에서 눈물이 흘렀다.

나와 함께한지 몇 달 되지 않았지만
이미 나는 고리에게 사랑을 주었고,
과한 사랑을 받았다.

내 딸이라고 생각하고 있었다.
그런 아이가 뇌성마비라니.
감정이 기울기 시작했다.

마음이 아파왔다.
여러 생각이 몰려왔다.

복잡했다.

아무것도 하기 싫었다.

집으로 향했다.

다시, 의존하다

뇌성마비라는 병명은,
나에겐 매우 위험한 단어로 느껴졌다.
고리한테만 시간을 쏟고 싶었다.
일을 그만두었다.

고리를 입양한 후,
술을 먹는 빈도를 줄여왔던
나는 다시 술을 매일 마시기 시작했다.

아침,점심,저녁.
하루를 거르는 것이 아닌.
한 끼를 거르지 않고 마셔댔다.

고리와 함께 해야 한다는 핑계로
다시 일을 할 생각은 하지 않았다.
고리와 함께 있고 싶다는
마음은 진심이었다.
그러나 삶을 마주한
나의 태도는 최악이었고
현실을 직시하지 못한채 방황했다.

나의 삶은
다시 텅 빈 상자로
되돌아 가고 있었다.

부모님께는
일을 하고 있다고 거짓말을 쳤다.

나의 삶의 진짜 모습을 아는 사람은
내 지인 중 아무도 없었다.
고리만이 나의 모든걸 알고 있었다.

고리는 나를 보며
어떤 생각을 했을까

지금 와서 생각해본다.

“아빠가 출근을 안하고
나랑 매일 같이 있어서 좋다!”일까.

“술 좀 그만 먹어 아빠!”일까.
잘 모르겠다.

시간이 빠르게 흘러간다.
1달이 지났다.
나의 일상은 변화가 없었다.

“뇌성마비 고양이는, 중성화 수술을 빨리 안 하면 발작이
올 수 있어 위험해요”

인터넷에서 우연히 본 문장.
찰나의 순간이었다.
내가 다시 정신을 차리게 된 것은.

뇌성마비에 대하여 찾아보기 시작했다.

워낙 희귀병인지라
인터넷에는 정보가 많이 부족했다.

사전적 정의를
적어놓은 글들이 대부분이었고
어떻게 케어해 주어야 하는지는 없었다.

유튜브에서 "모눈종이"라는
뇌성마비를 앓고 있는 "티아라"를
반려하고있는 분을 찾았다.

댓글로 이메일을
부탁드려서 연락이 닿았다.

나와는 다르게
외국 논문까지 직접 찾아보시며
케어하고 계신 분이었다.

"아직 수의학이 도달하지 못했어요"
"불치,희귀병이며 수의사들도 진단을 잘 못하는 경우가 많아요."

"나을 수 없는 질병이라 평생 안고 가야해요."

절망적인 이야기였다.

"거동이 불편하기 때문에 낙상사고를 조심하세요"

"머리를 간헐적으로 흔들기 때문에 딱딱한 가구를 조심하세요"

"배변 활동에 어려움이 없으면 잘 자라날 수 있어요."

"의외로 다른 고양이들보다 수월한 부분도 있어요."

희망적인 말이었다.
나는 결심을 했다.

"밥을 먹는 것.","물을 마시는 것."
"화장실을 가는 것."
기본적인 고양이의 삶들.
그것은 내가 충분히 도와 줄 수 있었다.
고리를 포기할 이유는 어디에도 없었다.

내 삶부터 변화해야 했다.

다시 일을 구했고, 출근하기 시작했다.

고리 루틴

고리에 대한
애틋한 마음이 커져갔고,
나는 변화되어가기 시작했다.

"모든 것에 고리를 먼저 생각하자."

고리와 나는 루틴이 생겼다.
매일 출근을 하기 전,
고리는 화장실을
가고 싶다고 나를 깨운다.

고리는 서있지 못해
누워서 화장실을 사용하는데

처음엔 노하우가 없어서
고리도 나도 힘들었다.

장모종인 고리는
털에 소변이 범벅되기가 일상이었다.

출근 시간은 다가오는데
고리를 씻겨야 해서 부랴부랴
마음 급하게 씻겼던 일들이 많았다.

하지만 나도 이제는
나름 2년차 집사이다.
노하우가 생겼다.

내 손에 대소변이 묻더라도
뒷 다리의 각도를
계속 잡아주고 있으면 된다.

내 손이 조금 냄새가 나더라도
고리의 털에 묻어

고리를 씻기는 것보단
내 손을 씻는 편이 훨씬 수월하다.

화장실을 이용하고
몸이 가벼워진 고리는
사냥놀이를 하고 싶다고 나를 보챈다.

나는 안전한 매트리스 위에 올려놓고
잠자리 놀이를 시켜준다.

마음 같진 않아도
이리 구르고 저리 구르며
재미있게 사냥놀이를 한다.

그렇게 20분 정도
사냥 놀이를 하면
털이 엉망진창이 된다.
빗질을 해주어야 한다.

사냥놀이와는 별개로
고리는 털이 금세 뭉친다.

장모종인 것과 별개로

고리는 털을 빗어줘도
넘어지고 다시 일어서는 과정속에서
금방 털이 엉키고 뭉친다.

화장실을 누워서 이용하기에
털도 금방 더러워진다.

그래서 빗질은 빼 먹을 수 없는
루틴 중 하나이다.
밥을 먹여주고
물을 먹여준 후, 출근을 한다.

내가 퇴근할 때 까지
고리는 나를 기다리며 화장실을 참는다.

나는 오자마자 손을 씻고
고리를 화장실에 넣어주고,
밥과 물을 먹여준다.

그 후 다시 빗질을 해준다.
퇴근 하고 돌아오면
털은 다시 엉망진창이 되어있기 때문이다.

그 다음 루틴은, 재활 운동을 해준다.
뒷다리 근육을 잘 쓰지 못하는 고리.
뒷다리 근육이 퇴화되지 않도록
반드시 매일 해주어야 한다.

뒷다리 근육이 퇴화되지 않도록
굽혔다 펴줬다를 반복하고,
사냥놀이를 통해
근육 사용 유도를 해주어야 한다.

지금까지도 이 루틴은
매일 숙제처럼 하는 일들이다.

무책임하게 별 일 있겠어라는 마음으로
친구들도 만나고
늦게 들어오고도 했었다.

하지만, 그랬을 경우에
고리는 혼자 화장실을 가려다가
몸에 대소변이 범벅이 되기 일쑤였고
씻는 과정에서 고리도 나도 힘들어했다.

그래서 나는,
정해진 시간에 꼭 집에 들어와서
화장실을 꼭 도와주고
내 스케줄을 소화한다.

그렇게 나는 고리에게 맞추어 나갔고
고리도 나에게 맞추어 나갔다.

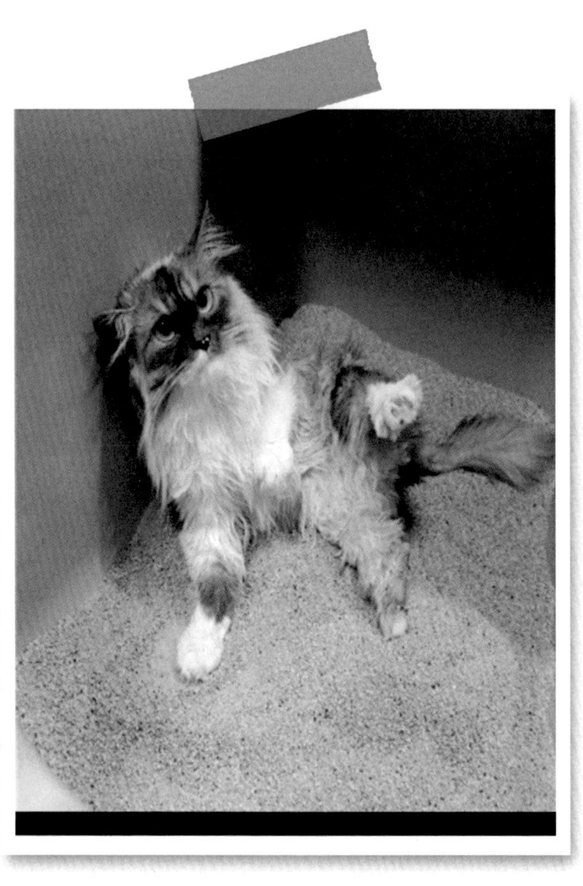

화장실에서 감자를 생산하는 고리

사냥 놀이 하는 고리

환묘 커뮤니티에 가입하다

나는 고리의 증상을
실시간으로 공유하며
정보를 나눌 사람들이 필요했다.

중증 환묘를
반려하는 사람들이 모인
커뮤니티가 있었다.

나는 환묘를 케어하는 집사님들에게
환묘 커뮤니티를 적극 추천한다.

사람에 따라 이런 커뮤니티를
싫어하는 사람들이 있을 수 있지만,

교사는 교사들끼리만
할 수 있는 이야기가 있고,

직장인은 직장인들끼리만
할 수 있는 이야기가 있다.

그렇기에
환묘를 케어하는 집사들끼리만
공감할 수 있는 이야기들이 있다.

나와 고리가 더욱 더 가까워지며
나의 삶이 고리에게 맞춰져갈수록
내 주변 사람들에게 상처도 많이 받았다.

극성이다, 적당히 해라,
고양이에 미친거 같다
너부터 챙겨라 등등..

나를 걱정해서 해주는 말이라고
애써 이해해보려고 했으나,
상처 받는 것은 어쩔 수 없었다.

나는 내 마음을 터놓고
이야기 할 수 있는 곳이 필요했다.
그래서 환묘방에 들어가게되었다.

환묘방에 처음 들어갔을 때에는
다양한 고양이들이 있었다.

백혈병,신부전,복막염,IBD,FIV 등등.
내가 처음 들어보는 병명이 가득했다.

병원에서 살다시피 하는 고양이들.
면회 한번으로 눈물을 흘리는 집사님들.
온 몸에 붕대를 감고 있는 고양이들.

간헐적 발작으로 인해
조마조마하는 집사님과,
발작으로 인해서
발톱이 부러져 피가 나는 고양이들.

신약을 구하려고
여기저기 발로 뛰는 집사님들.

병원에서 이상한 진단과 처방으로
고생하는 고양이들.

할 수 있는 처치를 하지 않아서
떠나는 고양이들.
함께 분노하며 위로해주는 집사님들.

각 지역에 있는 병원 정보들과
검사 수치에도 능통하여
번거로운 도움을 자처하시는 집사님들.

다양한 집사님들과
고양이들의 모습으로 인해
나는 더욱 더 책임감을 배우게 되었다.

사실, 환묘 커뮤니티에는
"ㅠㅠ"라는 글자가 가장 많이 올라온다.

그 만큼 안타까운 순간들과,
힘겨웠던 지구별 여행을 끝내고

고양이별로 돌아가는
아이들이 많기 때문이다.

아름다운 천사들이
고양이별에서 얼마나 행복하려고
지구별 여행이 이렇게 힘들어야하는지.
우리는 함께 슬퍼해주며 추모해준다.
하지만 기적같은 순간들도 있다.

환묘방의
여우라는 한 고양이는
혈소판 감소증, 복막염,
전신봉와직염이라는 중증을 앓고 있었다.

항상 병원에서 살다시피 했고
피부가 벗겨져 살갗이 드러나있었다.

붕대를 감은채
입원해 있는 여우의 사진을 보면
우리도 아팠고, 여우 집사님도 아팠다.

우리 모두는
여우의 쾌유를 바라고 기도했다.
꽤 오랜 시간이 지나서
여우는 우리의 기도를 들어주었다.
기적처럼 완치판정을 받았다.

지금은 따뜻한 집에서
집사님과 함께 행복한 일상을 보내며
지구별 여행을 아름답게 하고 있다.

고리가 선물해준 기적들

여우의 기적을 보면서
나는 감동스러웠지만
고리가 나아지리라고는 기대하진 못했다.

뇌성마비는
소뇌가 작게 태어난 것이기 때문에
나아 질 수 없는 질병이라고 알고 있었다.

어쩔 수 없는 것이라며
나는 받아들이고 있었다.

다른 뇌성마비 고양이들은
배변 패드 위에서

생활을 하는 아이들도 있고
아예 거동을 하지 못하는
아이들도 허다했다.
고리는 기어다니긴해도
거동이 가능했고 배변활동은
모래에서 하려는 의지가 있었다.

그렇기에 내가 조금 도와주면
생활을 영위할 수 있었다.
감사한 마음 뿐이었다.

나는 그저 고리가
더 나빠지지 않기를 바랬다.
지금처럼만 나와 함께 살아주길 바랬다.

그러나 고리는,
아빠를 비웃기라도 하듯이
기적을 선물해 주었다.

아직도 기억이 생생하게 난다.

퇴근하고 집에왔는데,
매일 누워서 나를 반겨주던 고리가,

처음으로 똑바로
일어서서 날 반겨주었다.

나에게 한 걸음 다가오다가 넘어지고
다시 힘겹게 일어나서 나를 쳐다보았다.

고리가 처음으로
중심을 잡고 일어선 것이다.
손 씻는 것도 깜빡하고
고맙다며 고리를 껴안고 1시간을 울었다.

고리는 당황하지 않았을까싶다.
아빠한테 칭찬받으려고
노력해서 일어섰는데
왜 아빠는 우는걸까 하면서.

손을 씻은 후에
고리의 밥을 주려고

고리를 비스듬히 눕히고
내 손에 밥을 담았다.
평소라면 바로 먹었을 고리.
고리가 발버둥을 치며 다시 일어났다.
서서 밥을 먹기 시작했다.

밥을 허겁지겁 먹더니,
물도 스스로 일어서서 먹었다.
감동적인 순간이었다.

여기저기 자랑도 하고,
응원도 많이 받았다.
고리의 아름다운 노력 때문이었을까.

꿈 같은 그 하루가,
그 다음 날에도 이어졌다.

그 다음 날에도,
내가 퇴근하고 돌아왔더니
여전히 똑바로 일어서서
나를 기다리고 있었다.

고리는 조금씩 걸으려고
노력하고 있었다.
아기가 걸음마를 하듯이.

한 걸음, 두 걸음,
조금씩 걷다가 넘어지긴 했으나
기어다니는 것이 아닌,
분명히 걷고 있었다.

밥과 물도
내가 없을 때에도
스스로 먹기 시작했다.

새벽에 내가 밥과 물을 먹여주고,
밥그릇과 물그릇에
밥과 물을 채워주고 가긴 했지만

퇴근 하고 나서 보면,
양은 변한 적이 없었는데
밥과 물을 먹은 흔적이 보였다.

기어다녔을때는
밥과 물을 스스로 먹을 수 없었지만,
조금씩 걷기 시작하면서
스스로 먹기 시작한 것이다.

고리의 또 다른 기적.
힘겹게 화장실까지 아장아장 걸어가본다.

그 후에 각도를 잘 맞춰서,
앞 발을 화장실 턱에 받친다.
그 다음 뒷 발을 뒤로 쭉 편다.

그 다음,
걸쳐진 앞 발을 지탱하여
앞으로 기어서
화장실에 구르듯이 들어간다.

화장실도 스스로 가보려고
노력하기 시작한 것이다.

하지만 내가 없을 때에
화장실을 혼자 가면 큰일이 난다.

눈에 모래가 들어가거나
뒷 다리 각도 때문에
몸에 대소변이 묻기 때문이다.

그것을 고리도 아는지
혼자 갈 수 있어도 나를 기다린다.
웃프지만 고리에게 고마운 일이다.

고리가 혼자 화장실을
혼자 가는 것은 너무 대견하지만
몸에 대소변이
범벅이 되는 참사를 막기는 어렵다.

수습하는 과정에서도
나도, 고리도 서로 힘들다.

내가 일을 하는 시간 동안

화장실을 참아주는 고리가
그저 대견하기도, 미안하기도 하다.

사냥 놀이도 바뀌었다.
고리는 누워서
앞발으로만 사냥 놀이를 했었다.

힘겹게 일어서서
머리를 흔들더니
조금씩 점프도 하기 시작했다.

첫 점프를 한 날에는
깜짝 놀라서 영상을 찍고
수의사에게 카톡을 보낸적이 있다.

"이것 좀 봐주세요,
고리가 점프를 해요"
호들갑 떨었던 기억도 난다.
분명히 나아질 수 없는
질병이라고 알고 있었는데,

고리는 분명 나아지는
모습을 보여주고 있었다.

기적과 같은 순간의 영상들을
이 책에 담을 수 없는 것이
안타까울 뿐이다.

처음 고리가 일어서서 마중해준 순간

다시 병원을 떠돌다

기적 같은 고리의 순간들.
나는 중성화 수술을
쉽게 할 수 있을 것이라 생각했다.

그건 내 섣부른 생각이었다.
내가 들은 날카로운 말들.

"정상적인 아이가 아니잖아요."

"뇌에 이상이 있고,
마취하면 뇌압이 상승해요."

"혹시나 문제가 생기면 전부 문제는 우리한테 넘어와요"

나는 발작 증세 때문에
빨리 수술을 해주고 싶었다.
"그럴 마음 없어요,
최선을 다해주시면
그것만으로도 감사해요."

"그럴 마음이 없다고 하셔도
사람 마음이 화장실 들어갈 때,
나갈 때 달라요."

매몰찬 거절이었다.
이상한 핑계도 들었다.

"고리는 작은 고양이잖아요."
"수액을 맞을 때도
손을 뺄 수도 있어서 위험해요."

그럼 작은 고양이들은
중성화 수술을 못한다는건가.

기본 접종을 받으려고
병원을 떠돌던 때가 생각이 났다.

기본 접종 받으려고도
엄청 떠돌았는데
중성화 수술은 더 힘들겠구나.

고리는 여아이기 때문에
전신마취를 해야 했고그것 때문에 더욱 더 꺼려하는 것
같았다.

다시 나는
이곳 저곳 병원을 떠돌며
여기 저기 전화를 하기 시작했다.

과장을 조금 섞어서,
내가 살고 있는 지역의
모든 병원에 다 찾아가 봤던 것 같다.

한 병원의
원장님이 했던 말이 기억에 남는다.

"이 질병은, 워낙 희귀병이에요."

"제가 대학교 다닐 때의 지도 교수님께 물어봐도 답을 모를거에요."

"판단이 안서요, 미안해요."

어느 곳에서는
나와 고리를 기대시켜놓고
어이없는 이유로 거절한 적도 있다.

분명, 수술을 해준다고 했었다.
수술 날짜까지 잡았었다.

수술 당일,
혈액검사를 위해 피를 뽑았다.
"끼야아앙"
고리가 울었다.

"수술이 어려울 것 같아요.."

당황했다.
'뭐 때문에 그러시죠?"

"피 뽑을 때 우는 거 보셨죠?"
"그게 작은 쇼크의 증세에요"

그럼 애가 피를 뽑는데 울지 웃겠나.
정말 황당했던 경우였다.

수술을 수락해줘서 정말 고마웠고,
수술 때문에 금식까지 시켰는데.

저런 터무니 없는 핑계로
수술을 못하니 허탈했다.
매일 매일 피말리는 마음으로
병원을 수소문 하던 중.

이런 수술을 하라고
병원이 있는 거라면서
아이를 데려와보라고 하는 병원이 있었다.

나는 기대 반 걱정 반의 마음으로
고리를 병원에 데려갔다.

수의사분이 고리를 보고
이리 저리
뒷다리도 만져보셨다.
그리고 이런 말을 하셨다.

"중성화 수술은 사실 그렇게 어려운 수술은 아니에요"

"그런데 고리는 뇌에 문제가 있어서 마취가 안전하다고는 할 수 없어요"

"수술 후 문제가 생겼을 때 책임을 묻지 않겠다는 서류를 쓰면 수술을 해드릴게요"

드디어 찾았다.
1달 정도 걸렸다.
중성화 수술을 해 줄 병원을 찾기까지.
인생에서 큰 목표를 이룬 느낌이었다.

수술 할 수 있다는 안도감과
잘못되면 어쩌지라는
불안함이 밀려오고 있었다.
그렇지만
꼭 수술을 해야 했기에
나는 불안한 마음을 애써 달랬다.

매일 고리와 이야기하면서
계속 기도하는 것으로 불안함을 견뎠다.

중성화 수술 전, 액땜을 하다

중성화 수술
1주일 전 쯤 이었던 것 같다.

고리가 화장실을
가고 싶다고 나를 깨웠다.

나는 평소처럼
고리를 화장실에 넣어주었고
고리는 소변을 보기 시작했다.

문제가 발생했다.
고리가 소변을 보는 과정에서
내가 원래 뒷다리를 잡아서
각도를 조절해준다.

그 날은, 워낙 비몽사몽이었다.
각도를 바꿔주는데
타이밍을 놓쳐버려서
소변이 묻어버린 것이다.
소변이 묻은 털과
화장실 모래와 합쳐서
털이 꽤 뭉쳐버렸다.

평소였으면 엉덩이를 씻겨주었을텐데,
너무 피곤한 나머지
가위로 살짝 잘라주려고 했다.

조심한다고 했는데
실수로 가위로 살을 잘라버렸다.

고리가 우는 소리를 냈고
나는 깜짝 놀라서
고리를 보니 상처가 나 있었다.

회사에 사정을 설명하고
택시를 타고 근처에

24시 병원으로 달려갔다.
고리는 잔뜩 화가 난 표정이었다.

병원에 도착해서
접수를 하고 수의사분을 만났다.
가위를 사용하면 안된다며 혼이 났다.

"그래도 이 정도 상처는 우실 정도는 아니에요"

민망했다.
부분 마취를 해야 한다는 말에
조금 긴장했다.

다행이었다.
고리는 잘 이겨내주었고
처치도 금방 끝났다.

집에 도착했다.
가뜩이나 중심을 잘 못잡아서
거동을 힘들어 하는 고리.

넥카라가 추가 되어서
그런지 기어가는 것도 힘들어했다.
힘은 왜 그렇게나 좋은지 모르겠다.

이리 비틀고 저리 비틀며
넥카라를 스스로 벗어버렸다.

다시 씌워주면
또 이리 구르면서
발로 팡팡 차대며 넥카라를 벗어버렸다.
유연한 것이 고양이는 맞구나 싶었다.

다행인 것은,
고리는 넥카라를 벗어도
상처를 그루밍하지 못했다는 것.
넥카라 없이도 상처가 잘 아물었다.

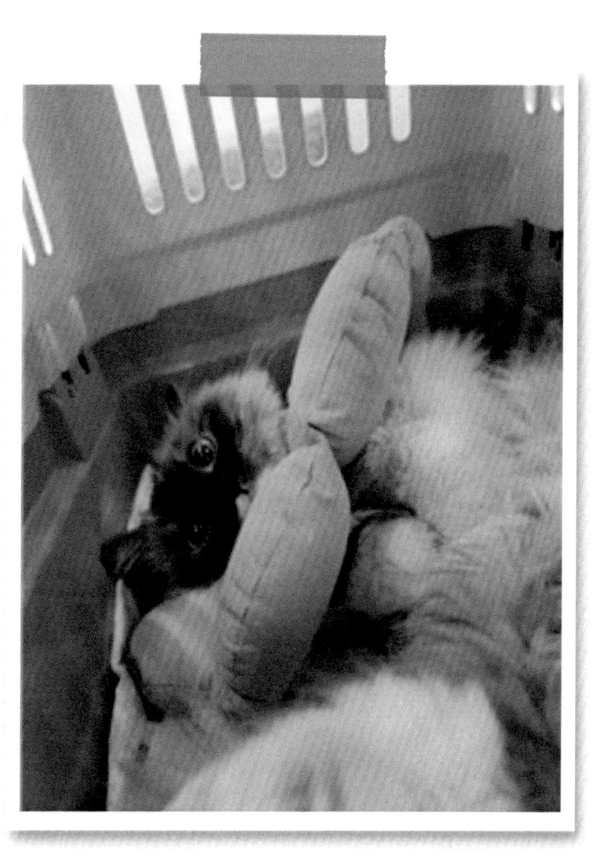

병원에서 처치를 받고 넥카라를 한 고리

고리, 마취를 버티다

중성화 수술 날짜가 다가왔다.
수술 전 날.

금식과 물을 못 먹는것도
고리는 어리둥절해 했지만 잘 참아줬다.

수술이 잘 될거라고
응원을 많이 받았지만
불안한 것은 어쩔 수 없었다.

혹시 수술 하러 갔는데
저번처럼 혈액검사 끝나고
거절 당하면 어쩌지하는 걱정도 있었다.

하루 하루 마음 졸이면서
꼭 수술을 할 수 있게 해달라고,
마취를 잘 버틸 수 있게 해달라고
매일매일 기도했다.
우리 고리는 강한 고양이니까,
그까짓 마취따위 잘 이겨낼 수 있지?

잠깐 잠 자고 일어나면
아빠가 앞에 있을거야.
혹시나 이겨내지 못하더라도 걱정하지마.

고양이별에서 아빠 쳐다보면서
아빠 기다리고 있으면
아빠가 꼭 고리 만나러 갈게.

우리 꼭 다시 만나자라면서
일어나지도 않은 일을 걱정하며
혼자 신파극이라는 신파극은 다 찍었다.

지금 생각하면
고리는 아무렇지도 않게

버텨줬는데 참 궁상맞았다.

병원에서 혈액검사를 시작했다.
고리는 씩씩하게 피도 잘 뽑았고
혈액 검사지도 모든 수치가 정상이었다.

다행히 병원에서도 수술이
가능하다고 하였다.

환묘 커뮤니티 사람들도
고리 수치가 엄청 좋다며 부럽다고
잘 이겨낼 거라고 응원도 해주었다.
불안했지만 힘이 났다.

고리가 수술실에 들어가기 전,
고리의 컨디션 상승을 위해
수액을 맞추고 수술을 한다고 하였다.

나는 서류를 작성하고
고리를 병원에 맡겼다.
병원 밖으로 나왔다.

수술 시작 시간까지는
시간이 많이 남아있었다.

목적지 없이 병원 근처를 그저 걸었다.
이런 저런 생각이 들면서
눈물이 나기 시작했고
맨정신으로 있지 못할 것 같았다.

꽤 걸으며
시간을 보냈던 터라 배도 고팠다.

마침 건너편에
콩나물 국밥을 파는 식당이 보였다.

혼자 콩나물 국밥 1그릇을 시켜놓고
오랜만에 술을 마시며
여기저기 전화를 했다.

고리 꼭 일어나야 하는데,
고리 없으면 나 어쩌구 저쩌구.

혼자 궁상이란
궁상은 다 떨며 식당에서 울었다.
주변에서는 신기한 듯 나를 쳐다봤다.

환묘방의 집사님들께
고리는 씩씩하게
수술 잘 마치고 나올건데
왜 술을 마시냐며 혼이 나기도 했다.

핸드폰의 전화가 울렸다.
병원 전화번호였다.
아직 수술 할 시간이 아닌데 무슨 일일까.

전화를 받았는데
고리 수술실에 들어간다는 전화였다.
수술 마치고 다시 연락을 주겠다고 했다.

10분..20분..30분..
전화가 오지 않았다.
나는 초조해지기 시작했다.
무슨 일이 생긴건 아닌지 다시 불안해졌다.

1시간이 지났을 때 쯤 메시지가 왔다.
고리 수술 잘 끝나고
마취에 깨어나 입원실로 이동중입니다.
7~8시에 데리러 오시면 될 거 같습니다.

마음에 얹혀있던
돌이 쭉 내려가는 느낌이었다.
얼마나 울었는지 기억도 나지 않는다.

아마 평생 울 눈물의 양의 반은
그 날 흘리지 않았을까 싶다.

앞에 고리도 없는데 고맙다며
혼자 주저리주저리
궁상을 떨며 눈물이 났다.

여기저기 병원을 떠돌던 시간들이
주마등처럼 스쳐지나갔고,
나는 감사한 마음이 불타오르기 시작했다.

편지지를 사서, 집에 들어와 손편지를 썼다.

편지에 너무 감사하다고,
사랑한다는 말도 썼던 것 같은데,
얼마나 황당하셨을지,
지금 생각하면 너무 민망하다.

편지와 선물을 가지고 병원에 도착했다.
고리를 반 나절만에 다시 만났다.

고리는 나한테 무슨 짓을 한 거냐며
원망스럽게 나를 보자마자
꼬리를 불만스럽게 팡팡 흔들었지만
똘망똘망한 눈으로 나를 바라봤다.

수술해 주신 의사분께
너무 감사하다고 손편지를 전해드렸다.

주의할 점을 설명을 듣고
고리는 넥카라를 벗은 후에
환묘복을 입은 후 집으로 향했다.

고리는 이제 안심인 듯 표정이 좋아졌고
고리를 위로해주려고 손을 내밀었는데
고리는 발로 차며 나의 손길을 거부했다.

꽤 크게 화난 것 같았다.
나도 서운했지만
고리의 입장에서 생각해보면
당연한 것이었기에 이해했다.

그 와중에,
환묘복을 입고
고장나서 이상한 몸짓을 보이는
고리의 모양새가 너무 귀여웠다.
의외로 환묘복이
몸의 중심을 의외로 잘 잡아줬는지
걸어 가는 것도 나름 수월해 했다.

밥 먹고 물 먹는 것도,
고리는 먹다가 살짝 비틀대면서
넘어지곤 했는데

환묘복을 입고 있으니
그런 빈도가 많이 줄어들었다.

그런데 웬걸,
생각지도 못한 복병이 나와 고리를 기다리고 있었다.

고리는 다른 고양이와 달리
누워서 화장실을 봐야 한다는 것.
생각지도 못했는데,
고리가 화장실을 보면
환묘복에 대소변이 범벅이 됐다.

그루밍을 해서 상처가 덧날 수 있으니,
환묘복을 벗긴 채로 생활 할 수는 없었다.

대소변이 범벅된 환묘복을
그대로 둘 수도 없었다.

환묘복을 벗기고 붕대로 땜빵을 한 후에,
환묘복을 여러벌 사서
하루에 2번씩 갈아입히며 빨래를 했다.

전쟁같은 1주일이 지났다.
고리도 삐진걸 풀고
다시 아빠 껌딱지로 돌아왔다.

다른 고양이에겐
별 거 아닌 중성화 수술이겠지만
나도 고리도 참 고생이 많았던
나름의 대수술의 과정이 끝났다.

그래도 그 과정 속에서
고리와 더 애틋해 질 수 있었고
지금은 웃으면서 추억 할 수 있기에
잘 이겨내 준 고리에게 그저 감사하다.

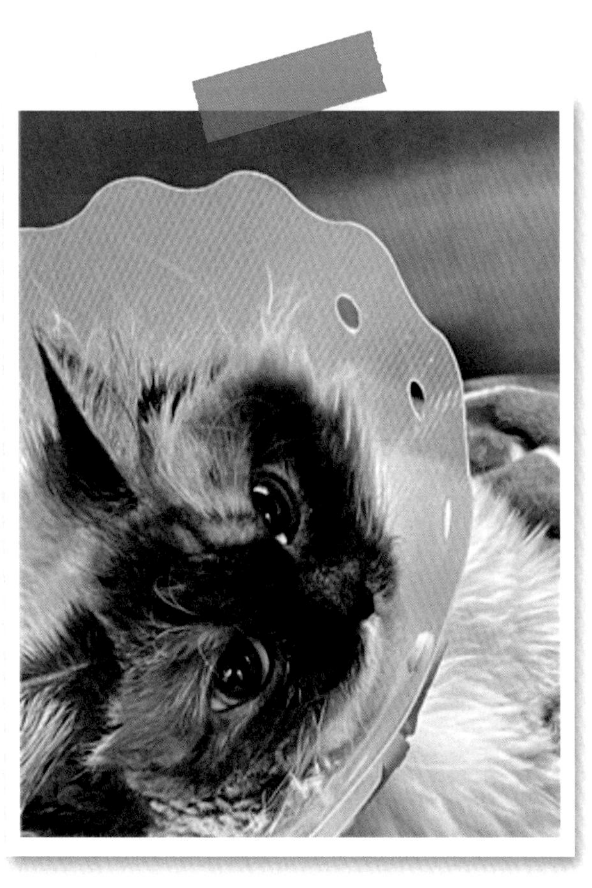

마취를 버텨낸 고리

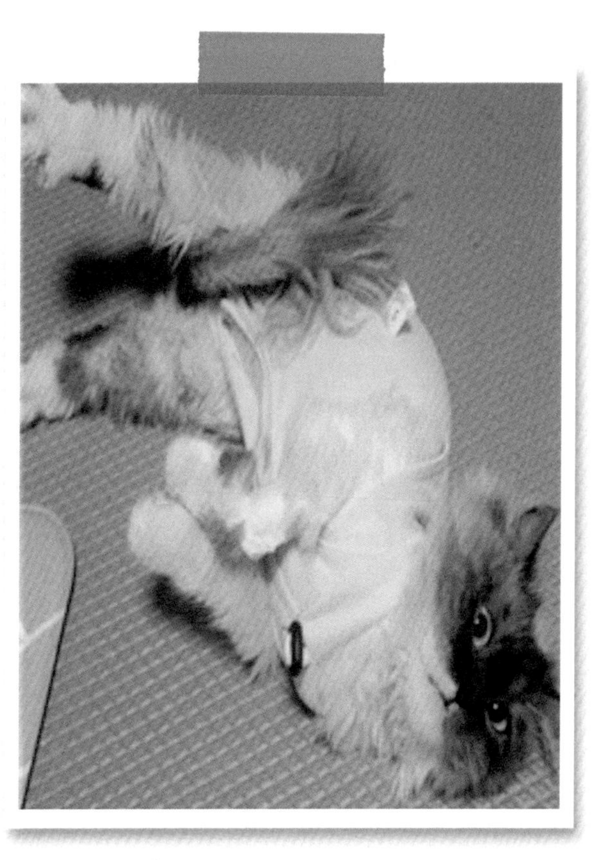

환묘복을 입고 고장난 귀여운 고리

또 다시 사고치다, 귀지 폭발

어느 날,
고리의 귀지가 폭발하기 시작했다.
나는 당황했다.귀 청소를 해줘도,
일주일 후면 귀지가 폭발했다.

병원에 데려가봤는데,
귀 진드기도 아니고
귀에서는 문제가 없다고 했다.
멘탈이 붕괴되기 시작했다.

환기 빈도가 적어서 그런가?
환기를 시켜봤다.

집이 좁아서 공기 순환이 안되서 그런가?

공기청정기를 사봤다.
변함이 없었다.
사료 알레르기일 수 있어요.
사료를 바꿔보세요.
사료를 가장 비싼 사료로 바꿔줬다.

1달에 사료값만
수십만원이 깨지는 효묘 고리.

그래도 성분이 고리와 꽤 맞았는지,
귀지가 줄었으나 환절기 때 마다
귀지가 정말 심각하게 터져나왔다.

일반 귀지가 아닌
염증성 갈색 빛을 띄는 귀지들이었다.
조금 큰 병원으로 옮겨봤다.

병원에서 귀 망원검사와
도말검사를 한 후에,
사진을 보여주셨는데, 깜짝 놀랐다.

귀 사진을 보니,
고리의 귀 안쪽이
큰 귀지로 가득차있었다.

귀 청소를 자주 하면
안 좋다고 들어서
환절기 때 마다 보이는 곳만
1주일에 1번만 해주고 있었는데.

안 좋은 건 맞지만
이렇게 귀지가 쌓이면
더 안좋을 수 있다고 하셨다.
고리에게 너무 미안해졌다.
아토피성 외이도염 진단을 받았다.

아토피는 치료에 들어가더라도
완치가 아니고 환절기 때 마다
관리해주는 수 밖에 없다고 했다.

일단 병원에서 귀 청소를
최대한 해 주겠다고 하셨다.

진료실 밖으로 나와서
고리를 기다리는데 어찌나 울던지.

당장 뛰어 들어가고 싶은
마음이 여러번 들었다
처음 들어보는 울음소리였다.

30분 정도를
병원 안을 계속 걸으면서
안절 부절 못하고 있었는데,
고리가 나왔다.
테크니션 분과 함께.

"발톱 정리를 해주려다가 며느리 발톱이 담요에 걸려서
피가 났어요"

"지혈을 했으니 큰 문제는 없을거에요."

순간 너무 화가 났다.
그래서 고리가 엄청 울었구나.

그래서 그렇게 오래 걸렸구나,
우리 고리 얼마나 아팠을까.

약 처방과 연고를 받고 집에 왔다.
고리가 오버그루밍이 엄청 심했다.
스트레스를 많이 받은 모양이었다.

환묘 커뮤니티에 여쭤보니
귀 연고를 바른 첫 날에는 냄새가 심해서
그루밍을 오래 할 수 있다고 했다.

내 옆에 오려고 하지도 않았다.
얼마나 아빠가 미웠을까.
사실 고리 겨드랑이 쪽 털을
클리퍼로 정리해주다가
피부를 살짝 건드려
상처가 생겨 소독을 해주었었다.

이놈의 아빠가,
오늘 새벽에는 날 상처내더니,
싫어하는 병원에 데려왔다고.

예민한 귀를 건드리고,
발톱까지 아프게 했다고
생각 했을 것이다.

고리는
3시간 동안이나 나를 외면했다.

밤 10시나 되어서야
나를 바라보았고
침대에 올려주었더니
엄청 피곤했는지 내 팔을 베고 골골댔다.
아빠가 그렇게 실수를 하고
아프게 했는데도
아빠가 그렇게 좋은가.
눈물이 핑 돌았다.

항상 느끼는 거지만,
동물이 사람보다 나은 점이 많다.
동물은 사람을 배신하지 않는다.
사랑을 받으면 사랑으로 보답한다.

함께 아침을 맞고,
출근을 하고, 퇴근을 하고.
고리는 나를 기다리고
나도 퇴근 시간을 기다리고.

집에 오면 고리는 문 앞에서
나를 기다리고있고
고리와 함께 시간을 보내고,
함께 잠이 들고.

평범한 일상의 반복이지만
그 일상이 나와 고리에겐
너무 소중하고 기적같은 하루하루다.

집에 와서 팔 베고 잠을 자는 고리

Chapter 2

웃긴 이야기

고리 생일. 사기를 당하다

다시 평범한 일상의 반복으로 돌아왔다.
하루하루 아무런 이슈 없이.

매일 출근을 하고
퇴근하고 고리를 케어하고.
함께 잠을 자고.

꽤 많은 시간이 흘러
고리의 첫 생일이 다가왔다!

기본 접종도 거부당하고,
삶을 영위하지 못할거라면서
안락사를 권유받던
고리가 어엿한 한 살이 되었다!

그만큼,
고리의 첫 생일은 애틋하고 귀했다.

고리의 생일에 무엇을 해주어야 할까.
좋은 추억을 만들고 싶은데.

첫 생일이니만큼
고리와 나의 사진을 만들고 싶었다.
"그래, 함께 사진을 찍어보자!"

사진 스튜디오를
여기저기 둘러보다가,
가격이 합리적인 곳으로 예약했다.

예쁜 고리를
더더욱 예쁘게 해줄 수 있는
고양이 미용샵을 방문했다.

"속 털이 엄청 뭉쳐있어서 다 밀어야해요"

매일 매일 빗질을 해줬는데..
속털까지 빗질을 못했나보다.
초보 아빠는 참 서툴다.

“뭉친 털을 방치하면 자극이 심해요”

“밀어주세요..”

클리퍼가 꽤나 무서웠던 모양이다.
처음 듣는 울음 소리를 내었다.

우여곡절 끝에 털을 다 밀고,
털 옷이 벗겨진 고리였지만
내 눈엔 여전히 예쁜 딸이었다.

백숙이 된 고리와 함께,
촬영 장소로 도착해서
여러 사진을 찍었다.
고리의 단독사진,
나와 함께 있는 사진.
고리는 불만스러운 표정이었다.

사진 촬영이 끝났다.
직원의 안내에 따라
어떤 방으로 이동했다.

감성적인 반려동물 노래가 나왔다.
마음이 말랑말랑해졌다.

조명이 어두워진다.
빔 프로젝터 화면에
찍었던 사진들이 한 장씩 스쳐 지나간다.
잘 찍으러 왔다는 생각이 들었다.

직원의 말이 나를 당황하게했다.

“한 장만 고르세요!”

큰 맘 먹고
시간을 투자했다.
수십장이 넘는
고리와의 추억을 사진에 담았다.

그 중에 한 장만
어떻게 고를 수 있겠는가.

“원본을 추가 금액을 내고 구매 할 수는 없나요?”

“안됩니다, 큰 액자나 앨범이 포함된 상품을 구매하셔야
원본을 드릴 수 있어요.”

울며 겨자먹기로
가장 저렴한 셋트 상품.
100만원을 낼 수 밖에 없었다.

그래도 지금은
좋은 추억을 남겼다고 생각한다,

내 방에는 함께 찍은
사진이 가득 담겨져 있는
앨범과 액자로 가득이다.

백숙이 된 고리

초보 아빠, 셀프 미용 도전기

고리가 미용샵에서
난리를 친 것을 보고
나는 미용을 셀프로 해주기로 결심했다.

집에서 능숙하게
고리의 발 털을 밀어주는 나.

엉덩이와 뒷다리 쪽.
고리의 소변이 잘 묻는 부분.
내가 직접 해주는 미용 해주는 모습.

상상해보았다.
꽤나 멋있어 보였고
고리도 스트레스 덜 받을 것 같았다.

비장하게 클리퍼를 들었다.
“고리야 아빠가 이제 다 해줄게”

그러나
역시 나는 똥손이며
한 없이 고리에게 약하다.

클리퍼의 칼날은
꽤나 날카로워 보였다.

실수로 고리를 다치게 하면
어떡하지라는 마음도 들었다.

조심스럽게 클리퍼를
고리의 발바닥에 갖다 대었다.

영상에서는
분명히 한 두 번 쓱쓱 하면
발털이 깔끔하게 밀렸는데,
나는 왜 솜털만 밀리는 것인가.

영상을 보고 또 보고 시도해보았다.
길어진 발 털은 밀리지 않았다.

고리는 스트레스를 받았는지
적당히 하라며 나를 발로 찼다.
나는 포기할 수 밖에 없었다.

그래도 내 주변엔 고리를
응원해주는 좋은 사람들이 너무 많다.

고리를 반려하며
알게 된 쿵아,팡아의 집사인
김정민 누나가 그 중 한 사람이다.

번거로움을 자처해서
고리하우스에 찾아와주었고
클리퍼 사용법을 시범보여주었다.

내가 밀었을 땐 몇 번을 해도
솜털밖에 밀리지 않았는데.

정민이 누나의
손이 고리의 털을 스쳐갈때마다
고리의 털은 깔끔하게 밀리기 시작했다.

역시 집사 초보와
고인물은 차이가 많이 난다.

“고리가 아무리 힘써봤자 너보다 약해.”
“눈 딱 감고 밀어주면 고리도 스트레스 덜 받아”

냉정한 T다운 조언.
하지만 나는 아직 그렇게 안된다.

고리가 울면 마음이 약해지고
알겠어 알겠어하며 포기한다.

나도 사실 T인데,
고리한테만큼은 냉정하지 못하나보다.

Chapter 3

환묘와 함께 산다는 건

돌봄

환묘와 함께 산다는 것은 어떤것일까.
특별한 돌봄이다.

환묘가 아닌 다른 반려동물도
마찬가지겠지만 환묘의 경우엔
보호자의 특별한 돌봄이 필요하다.

돌봄이 없이 환묘가 방치당하게 된다면
환묘는 의지할 곳 없는
불편한 삶을 영위하게 된다.

하지만 돌봄이 함께한 환묘는
조금 다른 삶일지라도 보호자로 인해
기본적인 삶을 누릴 수 있다.

그 특별한 돌봄으로 인해,
보호자가 더 할 나위 없는
의지와 신뢰의 대상이 된다.

보호자에겐
환묘가 말로 설명할 수 없는
수준의 대상이 된다.

그 과정속에서
신뢰가 쌓여
보호자와 환묘간에는 애틋함이 생긴다.

특별한 돌봄이라는 것은,
처음엔 어색하고 불편하며
번거로운 일일 수 있다.
나 또한 그랬듯이.

고리에게 물을 먹여주고
밥을 손에 대어서 먹여주고
화장실을 직접 넣어주는 과정들.

결코 수월하지 않았고,
자연스럽지 않았다.

새벽에 잠에서 깨어
화장실에 직접 넣어줘야 할 때는
피곤하기도, 귀찮을 때도 있었다.

내 손에
고리의 대소변이 묻었을 때는
짜증이 날 때도 있었다.

그러나 그 시간이 쌓여갈수록
번거로움이 자연스러워지고
일상으로 당연하게 받아들이게된다.

다른 사람이 봤을 때는
과하다고 말할 수 있는 돌봄들이
보호자에겐 당연한 일과로 변한다.

인생에서,
어떤 존재를 특별하게 돌본다는 것은,

어쩌면, 경험하기 힘든 일일 수 있다.

그 특별한 경험으로 인해,
인생에서 커다란 것을 얻을 수 있다.

가족과는 다른 가족

환묘와 함께 산다는 것은,

가족과 다른 의미의

가족이 생긴다는 것이다.

일반적으로 가족이라는 것은

부모님, 형제, 자매.

이 정도로 정의 할 수 있을 것이다.

물론 가족들도 인생에 있어서

대체 할 수 없는 소중한 공동체이다.

하지만 가족에게도

받을 수 없는 것들이 있기 마련이다.

가족에게도 할 수 없는 이야기가 있다.
나만 아는 비밀들이 있을 수 있다.

그러나 환묘와 보호자의 관계는
조금 다른 의미의 가족이라고 생각한다.

내가 실수한 이야기를 이야기하며
우울해하던,

내가 잘한 이야기를 이야기하며
뿌듯해하던,

내가 슬픈 이야기를 이야기하며
눈물을 보이던,

일상의 사소한 이야기까지도.
어떤 이야기든 할 수 있다.

어떤 이야기든
고리는 귀를 세우고 반응해준다.

내가 고리와 함께 누워서
일상의 이야기를 나눌 때에는
그저 내 손길을 느끼며 들어준다.

내가 기쁜 일이 있어서
웃으며 고리와 이야기 할 때는
고리도 내 기쁜 기분에 반응해준다.

내가 슬픈 일이 있어서
눈물을 흘릴 때에는
내 얼굴을 핥아주며 위로해준다.

환묘에게는 대상에 있어서
우선순위라는 것이 없다.

보호자의 반응에
환묘의 반응도 변한다.

보호자가 출근을 할 때에는
의지의 대상이 외출하는 것을 아는 듯
가지 말라며 떼를 쓴다.

퇴근하고 집에 돌아 왔을 때에는
힘든 몸을 이끌고
문 앞에서 기다리고 있다.

인사를 해주면
이제 왔냐는 듯이
칭얼거리며 울어댄다.

그 울음소리는,
어떤 노래보다 듣기 좋은 울음소리이며
보호자와 환묘의 관계를 증명해준다.

내가 고리를 생각하며 버티는 동안
고리도 나를 생각하며
기다려줬음을 반증하기 때문이다.

보호자에게는
환묘가 인생의 한 조각에 불과할 수 있다.

조각의 크기는
사람마다 다르겠지만 말이다.

그러나 환묘에게 보호자는
묘생에 있어 한 조각이 아니라
그냥 세상이다.

보호자가 없으면 밥을 먹을 수 없다
보호자가 없으면 물을 마실 수 없다.
보호자가 없으면
다름을 평범한 일상으로
변화시켜 줄 존재가 없다.
보호자가 없으면 삶을 영위할 수 없다.
그 마음을 보호자가 알고 있다면
서로의 마음이 점점 같아진다면
또 다른 의미의 가족이지 않을까.

세상의
일반적인 관계에서는 찾을 수 없는.
다른 의미의 가족.

어른이 되어간다

환묘와 함께 한다는 것은,
어른이 되어간다는 것이다.

어른이라는 것은,
"책임감"이라고 생각한다.

"책임감"을 갖고 있는 사람이라면
어른이 될 자격이 있다고 생각한다.

환묘는 다른 고양이보다
손이 조금 더 가고,
조금 더 신경 써야한다.

그 만큼 더 소중해지며, 자그마한 몸짓 하나에도
감동을 받는 순간들이 많아진다.

수치 하나의 긍정적인 변화에,
말로 설명하기 힘들 정도로 울컥해진다.

수치 하나의 부정적인 변화에
말로 설명하기 힘들 정도로 슬퍼진다.
마음을 위로받고싶어진다.

금전적인 비용이 엄청나게 발생한다.
병원 한번가면 수십은 우스우며,
수백, 수천이 깨지는 경우도
꽤나 많이 본다.

시간적인 제약도 많이 발생한다.
병명은 다르지만
환묘를 반려하는 사람들은
꼭 해주어야 하는 루틴들이 생기게 된다.

어느정도 타협하는 부분도 있긴 하지만,
내 일상에 환묘를 맞추지 않고
환묘의 루틴에 내 일상이 맞춰지게된다.

그래서 나 뿐만 아니라,
환묘를 케어하는 집사님들은
과하다, 고양이에 미쳤다, 팔불출이다.
한번씩은 들어보셨을 것이다.

그러나 나는 그것이 부끄럽지 않다.
내가 남들이 보기에도
내 딸을 정말 살뜰하게 케어하구있구나.
오히려 자랑스럽기도하다.

나부터도 고리 때문에
내 일상이 변화했다.

내가 일을 안하면 고리 밥값은?
고리 병원비는?
내가 이 시간에 안 들어가면
고리 화장실은?

강제적으로 일상이 변화하며
그 과정속에서 책임감을 배운다.
단언컨대, 어른이 되어간다.

모든 것을 이기는 사랑

사실 지금까지 내가 쓴 책을
한 단어로 요약하자면 "사랑"일 것이다.

환묘와 함께 한다는 것은,
결국엔 사랑을 배워가는 것이다.

나 자신을 아끼고 사랑하는것보다
다른 존재를 더 사랑하고 위하는 사랑
그것이 어떤 사랑인지를 알게 된다.

부모님은 자식을 위해서라면
무엇이든 할 수 있다.

나도 고리를 위해서라면 무엇이든 할 수 있다.
부모님의 사랑을 배우게된다.

내가 고리를 포기하지 못했던 이유는
사랑했기 때문이었을 것이다.

나의 부모님도
나의 철없던 삶을 보고도
포기하지 못했던 이유도
사랑했기 때문이었을 것이다.

나의 삶이 고리한테 맞춰지는것도,
내 밖에서의 시간이 줄어들어도
기꺼이 할 수 있었던 이유도
사랑했기 때문이었을 것이다.

손에 고리의 소변이 묻어도
더러워하지 않고
고리의 몸에 소변이 묻지 않는 것을
먼저 신경 쓰는 이유도
사랑했기 때문이었을 것이다.
나는 여전히 술을 마시는걸 좋아하고
노는 것을 좋아한다.
그것을 참고 견디며

노력하는 이유도
사랑했기 때문이었을 것이다.

내가 경제적으로
형편이 좋지 못함에도
고리에게 더 좋은 사료를 사주는 일.
사랑했기 때문이었을 것이다.

주변에서 너부터 챙기라는 말을 들어도
나 자신보다 고리를 더 챙기는것도
사랑했기 때문이었을 것이다.

한달 일하고
무책임하게 일을 그만두던 나.

몇 년 동안 매일 술을 먹는 삶.
"폐인"처럼 살아오던 나.

계속 꾸준히 일을 하고 있는 이유도
결국 고리를 책임져야 하는 마음.
"사랑"이었을 것이다.

어떤 상황이던지
어떤 조건이든지
결국 사랑이 모든 것을 이긴다.

사랑이 모든 것을
이겨낼 수 있는 원동력을 준다.

그 위대한 사랑을,
환묘와 함께하면서 배워간다.

고리에게 쓰는 편지

고리야, 아빠야!

우리 공주님,

아빠를 처음 만나고

744일동안

많은 일들이 있었지만

소중하지 않은 순간이 없었던 것 같아.

처음 병원에가서

삶을 영위하지 못할 거라면서

안락사를 권유받고,

접종을 거부당하던 순간들.

걷지 못해 기어야했고,

뛰지 못해 굴러야 했던 고리가

처음으로 걷기 시작하고, 뛰기 시작하고.
상상 할 수 없었던 기적들을
부족한 아빠한테 선물해줘서 너무 고마워.
이젠 새벽에 아빠를 깨워서
화장실을 가고,
아빠가 퇴근하고 오면 화장실을 가고
밥을 먹고, 물을 먹고.
함께 사냥놀이도 하고,재활운동도 하고.

그러다 잠이 올 때,
고리는 아빠 팔을 베고
함께 잠이 들고.

아침에 눈인사를 하며
함께 하루를 시작하는.

이런 평범한 일상의 반복일 뿐이지만,
평범한 일상이 아빠에겐 너무나 소중해.
너무 사랑스러운 아빠 딸 고리야.

아빠는 매일 아침
출근 하기 전에 이렇게 기도해.

이 세상에 살아갈 때에
아빠에게 허락된 복이
조금이라도 남아있다면,
아빠한테 허락하시지 마시고
모두 고리에게 가게 해달라고.

그래서 아빠의 남은 삶이
복이 없는 삶이고
힘듦으로만 가득하더라도
아빠는 기쁘게 받아 들일 수 있어.

혹시 나중에 의학이 발전해서 가능하다면,
아빠의 수명이 반 정도로 줄어들고
고리한테 줄 수 있다면,
기쁘게 고리에게 줄 수 있어.

그럼 고리랑 아빠가 비슷하게 이 세상을 떠나서
함께 손 잡고 무지개별로 갈 수 있으니까,

참 좋겠다 그치?
아빠가 너무 바쁜 아빠라서 매일 미안해.
우리 고리는 아빠가 없는 11시간동안
혼자 너무 심심하고 외로울텐데,
항상 마음이 좋지 않아.

아빠가 더 노력해서,
고리와 함께 있는 시간이
점점 길어질 수 있도록
열심히 노력한다고 약속할게.

아빠의 지인들은, 이렇게 말해.

너 연애할때도 이러는거 본 적 없다고.
이렇게 사랑하는거 처음 보는 거 같다고.
아빠도 아빠가 낯설 때가 많아.

아빠의 부모님도
사실 너한테 꽤 많이 질투하신단다.
아빠한테 이 세상에 찾아온 큰 행운이야.

고리 때문에
아빠의 삶이 바뀌고 있고

고리 때문에 아빠가
알코올 의존증에서 벗어났고

고리 때문에 아빠가
꾸준히 일을 하게 되었고

고리 때문에 아빠가
처음으로 노력을 하면서 살고 있어
아빠, 널 만나기 전엔 사실 노답이었거든.

사람들은 아빠한테
고리가 아빠를 만나서 복 받았다고,
고리는 아빠한테
평생 잘 해야 한다고 하지만,
고리가 아빠한테 찾아와줘서,
아빠가 너무 감사해.
고리가 아빠의 삶을 바꾸고있어.

아빠도 아빠가 처음이라 많이 서툴지만,
더 나은 아빠가 되려고 노력할테니,
지금처럼 항상 옆에서 지켜봐줘.

앞으로 오래오래,
같이 잠이 들고, 함께 아침을 맞자.

이 세상에 어떤 사람이 널 알고 있고,
널 아끼고 사랑하더라도

아빠는 그 사람보다,
수만배는 널 더 아끼고 사랑한단다.
누구보다 널 사랑하는 아빠가, 고리에게.

epilogue

사랑과 연

지금까지 제 첫 에세이
"나를 바꿔준 뇌성마비 고양이 고리"의
이야기가 끝이 났습니다.

이 책을 쓰면서 전하고 싶은 메시지는
"사랑"과 "연"입니다.

이 책을 읽는 분들이
어떤 삶을 살고 계신지 알지 못합니다.

힘듦을 견디고 계실 수도 있습니다.
행복을 누리고 계실 수도 있습니다.

저와 고리의
짧은 이야기를 통해서
여러분들께서 겪고 계시는 힘듦이나
혹여 반려하고 있는 동물의 아픔이나
다른 어떤 상황도
“사랑을 이기진 못한다는 것”을
전하고 싶었습니다.

어떤 상황 속에 계시던지
“사랑”을 할 수 있는 “연”이 찾아온다면
여러분은 변할 수 있다고
저는 말하고 싶습니다.

철 없는 삶을 살던 사람이
고리라는 아름다운 “연”을 만났습니다.
“나보다 더 사랑하는 마음”을 배웠습니다.

그 아름다운 “연”은
또 다른 “연”을 맺어줬습니다.

“지켜주고 싶은 인연”
“미래를 그리고 싶은 인연”과
저는 지금 함께 하고 있습니다.

이 세상에서
소외된 존재들과
아픔을 겪고 있는 존재들도

존재의 의미와
사랑받아야 하는 이유가 있습니다.
아름다운 가치가 있습니다.

인생의 어려움을
맞닥뜨리고 계신다면
극복하려는 발버둥조차도
아름다운 가치가 있습니다.

인생에서 가장 큰 변화는
예상치 못한 순간에 찾아옵니다.

그 예상치 못한 “연”은
누구나에게 존재한다고 저는 믿습니다.
“연”은 삶을 변화시킨다고 믿습니다.

저와 고리의 이야기를 통해서
“사랑”이라는 소중한 가치를
고리의 “몸부림”을 통해서 “용기”를

어떤 존재와 함께 하고 계신다면
그 존재가 여러분에게 전하고 있는
“아름다운 사랑”을 통해

여러분들의 삶이
더욱 더 아름다워지길 바랍니다.

Thanks to

도움을 주신 고마운 분들

♥ 박주연	♥ neroli	♥ 장윤아	♥ 비비아나
♥ 벨	♥ 임재연	♥ 김영주	♥ 김도헌
♥ 강은혜	♥ 이태희	♥ 차한나	♥ 김은희
♥ 오영신	♥ 라나	♥ 신동현	♥ 이하나

후원자님들의

소중한 후원에 감사드립니다

부록

고리아빠가 뽑은 고리 묘생샷 모음

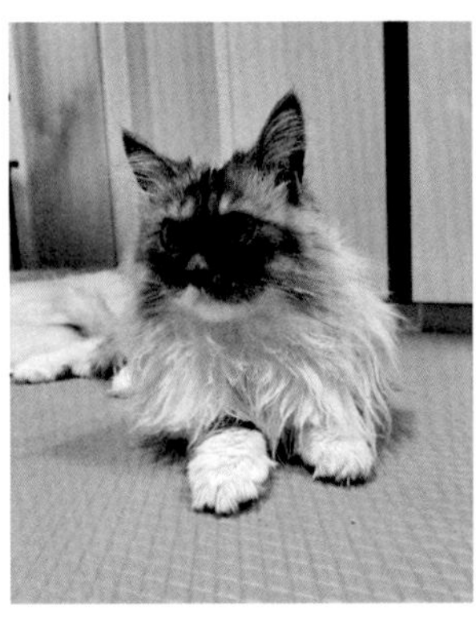